SE 07

Curso
MAD360

La diferencia entre aprobar
y sacar plaza

Personal Laboral Grupo 2
Operario/a de Carreteras
COMUNIDAD AUTÓNOMA DE CANTABRIA

Si aún no dispones de tu **Curso MAD360**, te ofrecemos un acceso GRATIS de 30 días para que disfrutes de los siguientes recursos:

- Técnicas de Memoria 360.
- MADTEST: Test *online* Nivel PRO.
- Temario en formato digital.
- Planificación de estudio.
- Foro entre opositores hasta la fecha del examen.*
- Recursos y novedades exclusivas.
- Consúltanos sobre tu oposición y proceso selectivo.
- Actualizaciones legislativas (Boletines Oficiales) hasta 60 días antes de la fecha del examen.*

AF212351

Para acceder a esta prueba del Curso MAD360** será necesaria la compra de la edición 2026 de este libro.

Regístrate en **mad.es/iniciar-sesion** y, en la pestaña **MIS CURSOS**, valida los códigos que encontrarás en la última página de tus libros. Recuerda que dispones de un plazo de **45 días desde la fecha de compra** para realizar la validación. Si no verificas tu matrícula, el periodo de uso del curso comenzará a contar aunque no hayas accedido.

NOTA IMPORTANTE:

* Examen de esta categoría profesional correspondiente a la convocatoria publicada en el BOC n.º 88, de 11 de mayo de 2026, o hasta el 30 de junio de 2027, lo que se cumpla antes, y previa renovación del servicio.

** El acceso al CURSO MAD360 estará disponible desde junio de 2026 (algunos recursos podrían estar disponibles en fecha posterior). Tendrá una duración de 30 días RENOVABLES mediante pago, desde la validación de códigos, o hasta el 31 de diciembre de 2027, lo que se cumpla antes.

MAD se reserva el derecho a ampliar dichas fechas.

Operario de Carreteras de la Comunidad Autónoma de Cantabria

(Personal Laboral Grupo 2)

Mayo, 2026

Operario de Carreteras de la Comunidad Autónoma de Cantabria

(Personal Laboral Grupo 2)

Test del temario

Autores

TERESA MARÍA TORRES FONSECA
Licenciada en Derecho

JOSÉ LUIS GARRIDO VELA
Licenciado en Derecho

JUAN CARLOS COSTA PÉREZ
Ingeniero de Montes
Funcionario Técnico de la Administración Pública

ANTONIO GARCÍA RUIZ
Ingeniero Técnico de Obras Públicas

LIDIA PONCE MARTÍNEZ
Licenciada en Psicología

JUAN MANUEL GIL RAMOS
Licenciado en Medicina. Master en Salud Ambiental

HERMINIA ANDRADES ROMERO
Diplomada en Fisioterapia. Técnico Superior en Imagen para elDiagnóstico. Técnica Superior en Laboratorio de Análisis Clínico. Prevencionista de Riesgos laborales (grado intermedio). Auxiliar de Enfermería

© 7 Editores Recursos para la Cualificación Profesional y el Empleo, S.L. (7 Editores)
© Los autores
Primera edición, mayo 2026 (82 páginas)
Derechos de edición reservados a favor de 7 Editores
IMPRESO EN ESPAÑA
Diseño Portada: 7 Editores
Edita: 7 Editores
Avda. San Francisco Javier, 9 · Edificio Sevilla 2 · Planta 11 · Módulos 25-27 · 41018 Sevilla
Teléfono: 954 784 411 · WEB: www.mad.es · e-mail: administracion@7editores.com
ISBN: 979-13-702-8950-8
© "Editorial Mad" y "Eduforma" son nombres comerciales registrados de
7 Editores Recursos para la Cualificación Profesional y el Empleo, S.L.

Índice

MATERIAS COMUNES

TEST

TEST N.º 1

La Constitución Española de 1978: Título Preliminar. De los Derechos y Deberes fundamentales (Título I)

1. El artículo 10 de la Constitución Española contempla:

a) Que la dignidad de la persona es fundamento del orden político y de la paz social.
b) El primero de los derechos fundamentales contenidos en la misma.
c) La prohibición de lesión a la persona física.
d) La interpretación de la Declaración Universal de Derechos Humanos conforme a la Constitución Española.

2. ¿Cuál de los siguientes no se especifica en el artículo 10.1 como fundamento del orden político y la paz social?

a) La dignidad de la persona.
b) Los derechos inviolables de la persona.
c) La seguridad jurídica.
d) El libre desarrollo de la personalidad.

3. En relación con la dignidad de la persona:

a) En realidad, la Constitución solamente la reconoce a la persona en tanto que ciudadana.
b) Puede verse alterada, jurídicamente hablando, atendiendo a la situación en que la persona se encuentre.
c) No admite grados.
d) Es renunciable y disponible.

4. El artículo 10 de la Constitución Española:

a) No reconoce el valor de los Tratados Internacionales, dándole el máximo y único valor a la Constitución.
b) Dispone que los tratados y acuerdos ratificados por España sirven de parámetro interpretativo de los derechos y libertades establecidos en la Constitución.
c) Reconoce únicamente validez, en relación con los derechos humanos, a la Declaración Universal de Derechos Humanos.
d) Establece que los Tratados Internacionales ratificados por España se situarán en una posición superior en la jerarquía normativa respecto de la Constitución.

5. De la Constitución se desprende que:

a) Los derechos y libertades establecidos en Tratados internacionales no tienen valor.

b) Los derechos y libertades establecidos en Tratados internacionales tienen rango constitucional.

c) Los derechos y libertades establecidos en Tratados internacionales tienen rango constitucional únicamente en la medida en que también estén reconocidos en la Constitución Española.

d) Los derechos reconocidos en Tratados internacionales tienen eficacia directa, por este hecho, en los tribunales españoles, aunque no hayan estado ratificados por el Estado español.

6. En relación con la nacionalidad española:

a) La Constitución establece que solamente se puede adquirir por nacimiento.

b) Se adquiere únicamente por nacimiento, no obstante, un extranjero puede optar a la residencia.

c) Se puede adquirir.

d) Nunca se puede perder.

7. En base a la Constitución Española:

a) Un español nunca puede perder su nacionalidad.

b) Ningún español de origen podrá ser privado de su nacionalidad.

c) La nacionalidad siempre se conserva.

d) No se admite la doble nacionalidad de un español.

8. En relación con la doble nacionalidad:

a) La Constitución Española no la permite.

b) El Estado puede concertar tratados de doble nacionalidad con los países iberoamericanos o con aquellos que hayan tenido o tengan una particular vinculación con España.

c) Solamente se puede reconocer en relación con la nacionalidad de otros países europeos.

d) Solamente se puede reconocer en relación con antiguos países que formaban parte de la Corona española.

9. ¿Cuál de las siguientes afirmaciones es falsa?

a) No es la primera vez que una Constitución Española regula aspectos relacionados con la nacionalidad.

b) La Constitución Española no es la única a nivel mundial que contiene regulación respecto de la nacionalidad de los ciudadanos del Estado.

c) En la Constitución se desarrollan las formas de adquisición, conservación y pérdida de la nacionalidad española, dada su importancia.

d) La nacionalidad es una cualidad jurídica de la persona.

10. En base al artículo 12 de la Constitución Española:

a) Los españoles se pueden emancipar a los dieciocho años.
b) Los españoles se pueden emancipar a los dieciséis años.
c) Los españoles son mayores de edad a los dieciocho años.
d) Los españoles son mayores de edad a los veintiún años.

11. Indica la respuesta incorrecta:

a) Que la Constitución establezca cuál es la edad de obtención de la mayoría de edad no implica que, por causa justificada, la ley pueda establecer otras edades para ejercer algunos derechos y obligaciones.
b) Que la Constitución establezca cuál es la edad de obtención de la mayoría de edad no implica la imposibilidad de emanciparse.
c) La Constitución equipara la minoría de edad con la incapacidad.
d) La Constitución vincula, en términos generales, la mayoría de edad a la adquisición de la plena capacidad de obrar.

12. No ser mayor de edad implica:

a) Que no puedes votar en las elecciones.
b) Que no puedes contraer matrimonio.
c) Que no puedes trabajar.
d) Que no puedes celebrar ningún tipo de contrato.

13. Atendiendo a lo dispuesto en el artículo 13 de la Constitución:

a) En todo caso, solamente los españoles están legitimados para participar en asuntos públicos.
b) Los extranjeros gozarán es España de los derechos fundamentales, pero no de las libertades públicas establecidas en la Constitución.
c) Los españoles son titulares del derecho de participación en los asuntos públicos, lo que puede extenderse, vía tratado o ley, a otros sujetos para el derecho de sufragio activo y pasivo en las elecciones municipales, siempre atendiendo a criterios de reciprocidad.
d) Solamente los españoles mayores de edad y con determinado nivel cultural pueden participar en asuntos públicos.

14. En relación con el derecho de asilo:

a) No se puede conceder a los refugiados, en ningún caso.
b) Por ley orgánica se establecerán los términos en que los ciudadanos de otros países podrán gozar de este derecho en España.
c) Por ley se establecerán los términos en que los ciudadanos de otros países y los apátridas podrán gozar de este derecho en España.
d) Por reglamento se establecerán los términos en que los apátridas podrán gozar de este derecho en España.

15. Indica la respuesta correcta en relación con la extradición:

a) La extradición solo se concederá en cumplimiento de un tratado o de la ley, atendido al principio de reciprocidad.

b) La extradición solo se concederá en cumplimiento de un tratado o de la ley, sin requerirse la reciprocidad.

c) También se puede conceder la extradición por delitos políticos.

d) No se puede extraditar por actos de terrorismo.

En MADTEST tienes **más preguntas de este tema**, y todos tus avances quedan registrados y se reflejan en el ranking.

¡Supera tus límites con MADTEST!

Solución al test n.º 1

1. a) Que la dignidad de la persona es fundamento del orden político y de la paz social.

2. c) La seguridad jurídica.

3. c) No admite grados.

4. b) Dispone que los tratados y acuerdos ratificados por España sirven de parámetro interpretativo de los derechos y libertades establecidos en la Constitución.

5. c) Los derechos y libertades establecidos en Tratados internacionales tienen rango constitucional únicamente en la medida en que también estén reconocidos en la Constitución Española.

6. c) Se puede adquirir.

7. b) Ningún español de origen podrá ser privado de su nacionalidad.

8. b) El Estado puede concertar tratados de doble nacionalidad con los países iberoamericanos o con aquellos que hayan tenido o tengan una particular vinculación con España.

9. c) En la Constitución se desarrollan las formas de adquisición, conservación y pérdida de la nacionalidad española, dada su importancia.

10. c) Los españoles son mayores de edad a los dieciocho años.

11. c) La Constitución equipara la minoría de edad con la incapacidad.

12. a) Que no puedes votar en las elecciones.

13. c) Los españoles son titulares del derecho de participación en los asuntos públicos, lo que puede extenderse, vía tratado o ley, a otros sujetos para el derecho de sufragio activo y pasivo en las elecciones municipales, siempre atendiendo a criterios de reciprocidad.

14. c) Por ley se establecerán los términos en que los ciudadanos de otros países y los apátridas podrán gozar de este derecho en España.

15. a) La extradición solo se concederá en cumplimiento de un tratado o de la ley, atendido al principio de reciprocidad.

TEST N.º 2

Ley 8/1981, de 30 de diciembre, por la que se aprueba el Estatuto de Autonomía para Cantabria: Título Preliminar; Título I: Instituciones de la Comunidad Autónoma de Cantabria; Título II: Competencias de Cantabria

1. Una condición inexcusable para merecer la condición política de cántabro es:

a) Haber nacido en Cantabria.
b) Ser ciudadano español.
c) Tener ascendientes cántabros.
d) Ninguna de las anteriores lo es.

2. La bandera de Cantabria está formada por dos bandas horizontales:

a) De igual anchura.
b) Siendo la de arriba más ancha que la de abajo.
c) Siendo la de abajo más ancha que la de arriba.
d) Y un círculo en medio en el que se inserta el escudo de la comunidad.

3. La concesión de derechos políticos a las Comunidades Cántabras asentadas fuera del ámbito territorial de la Comunidad:

a) Requiere una Ley Orgánica de las Cortes Generales.
b) Debe ser aprobada por la Comunidad Autónoma de Cantabria.
c) Exige una previa Ley del Parlamento de Cantabria.
d) Está prohibida estatutariamente.

4. Las cuestiones de competencia entre los Tribunales de Cantabria y los del resto de España se resuelven por el:

a) Tribunal Constitucional.
b) Consejo General del Poder Judicial.
c) Tribunal Supremo.
d) Tribunal Superior de Justicia de Cantabria.

5. El Tribunal Superior de Justicia de Cantabria es un órgano:

a) De la Comunidad Autónoma de Cantabria.
b) Supranacional.
c) Del poder judicial.
d) Independiente.

6. No tiene potestad de iniciativa de reforma del Estatuto de Autonomía de Cantabria:

a) El Gobierno.
b) El Presidente de la Comunidad.
c) Un tercio de los miembros del Parlamento.
d) Las Cortes Generales.

7. La responsabilidad penal de los Diputados del Parlamento de Cantabria se atribuye:

a) Al Tribunal Superior de Justicia de Cantabria.
b) Al Juzgado de lo Penal competente.
c) A la Sala de lo Penal del Tribunal Supremo.
d) A los jueces ordinarios predeterminados por la Ley.

8. El Parlamento de Cantabria tiene competencia para:

a) Ejercer la iniciativa legislativa.
b) Plantear la cuestión de confianza al Presidente del Gobierno.
c) Impulsar y controlar la acción política del Gobierno.
d) Todas las respuestas son correctas.

9. La aprobación de los presupuestos de la Comunidad Autónoma de Cantabria corresponde al:

a) Parlamento.
b) Consejero competente.
c) Gobierno.
d) Presidente del Parlamento de Cantabria.

10. El pueblo cántabro está representado en:

a) El Parlamento de Cantabria.
b) El Gobierno.
c) Ambos a la vez.
d) El Senado.

11. Las sesiones del Parlamento de Cantabria pueden ser:

a) Ordinarias.
b) Extraordinarias.

c) Ordinarias y extraordinarias.
d) Ordinarias, urgentes y extraordinarias.

12. Elaborar y aprobar el proyecto de Ley de Presupuestos Generales de la Comunidad Autónoma corresponde:

a) Al Gobierno autonómico.
b) Al Parlamento autonómico.
c) Al Presidente autonómico.
d) Todas las respuestas anteriores son incorrectas.

13. La aprobación del Reglamento del Parlamento de Cantabria precisa:

a) La mayoría absoluta de los Diputados.
b) La mayoría simple de los Diputados.
c) Los 2/3 de los Diputados.
d) Los 3/5 de los Diputados.

14. Son electores y elegibles en las elecciones al Parlamento de Cantabria:

a) Los cántabros mayores de 18 años que estén en el pleno goce de sus derechos políticos.
b) Los cántabros mayores de 18 años, estén o no en el pleno goce de sus derechos políticos.
c) Cualquier ciudadano mayor de 18 años que esté en el pleno goce de sus derechos políticos.
d) Los cántabros menores de 18 años que estén en el pleno goce de sus derechos políticos.

15. ¿En cuál de los siguientes casos los Diputados del Parlamento de Cantabria pueden ser detenidos por la comisión de actos delictivos durante su mandato?

a) En cualquier caso.
b) En caso de flagrante delito.
c) En ningún caso.
d) Cuando así se autorice por el Parlamento de Cantabria.

En MADTEST tienes **más preguntas de este tema**, y todos tus avances quedan registrados y se reflejan en el ranking.

¡Supera tus límites con MADTEST!

Solución al test n.º 2

1. b) Ser ciudadano español.

2. a) De igual anchura.

3. d) Está prohibida estatutariamente.

4. c) Tribunal Supremo.

5. c) Del poder judicial.

6. b) El Presidente de la Comunidad.

7. d) A los jueces ordinarios predeterminados por la Ley.

8. d) Todas las respuestas son correctas.

9. a) Parlamento.

10. a) El Parlamento de Cantabria.

11. c) Ordinarias y extraordinarias.

12. a) Al Gobierno autonómico.

13. a) La mayoría absoluta de los Diputados.

14. a) Los cántabros mayores de 18 años que estén en el pleno goce de sus derechos políticos.

15. b) En caso de flagrante delito.

Ley de Cantabria 2/2019, de 7 de marzo, para la igualdad efectiva entre mujeres y hombres. Título Preliminar: Disposiciones Generales. Título I: Competencias, funciones, coordinación y financiación

1. ¿Qué Ley de Cantabria tiene por objeto hacer efectivo el derecho de igualdad de trato y oportunidades entre mujeres y hombres para lograr una sociedad igualitaria?

a) La Ley 7/1985, de 2 de abril.
b) La Ley 3/2018, de 28 de mayo.
c) La Ley 2/2019, de 7 de marzo.
d) La Ley de Cantabria 3/1997, de 26 de mayo.

2. ¿A qué Administración corresponde conforme al artículo 6 de la Ley 2/2019, de 7 de marzo, ejecutar medidas de acción positiva en el ámbito local?

a) A todas las Administraciones Públicas.
b) A la Administración autonómica.
c) A los municipios y demás entidades locales.
d) A la Administración Central.

3. ¿A qué órgano corresponde el impulso, asesoramiento, planificación, control y evaluación de las políticas de igualdad entre mujeres y hombres en el ámbito de la Comunidad Autónoma de Cantabria?

a) Al Consejo de la Mujer.
b) A la Consejería competente en materia de igualdad de género.
c) A la Comisión para la Igualdad de Género del Gobierno de Cantabria.
d) Al Observatorio de Igualdad de Género.

4. ¿Cuál de los siguientes principios no se encuentra entre los establecidos como principios generales en la Ley de Cantabria 2/2019, de 7 de marzo, para la igualdad efectiva entre mujeres y hombres?

a) El reconocimiento y protección de la maternidad biológica o no biológica como una función social necesaria para toda la sociedad.
b) El impulso de la efectividad del principio de igualdad en las relaciones entre particulares.

c) La participación y representación prioritaria de mujeres en los distintos órganos de representación o de toma de decisiones.

d) La implantación en el ámbito administrativo de un lenguaje no sexista en toda la documentación escrita, gráfica y audiovisual.

5. ¿Cuál es el órgano colegiado adscrito a la Consejería competente en materia de igualdad de género, destinado a detectar, analizar y proponer estrategias para corregir situaciones de desigualdad entre mujeres y hombres en la Comunidad Autónoma de Cantabria?

a) La Comisión para la integración de la perspectiva de género en los Presupuestos de la Comunidad Autónoma de Cantabria.

b) La Comisión para la Igualdad de Género.

c) El Observatorio de Igualdad de Género.

d) El Consejo Regional de Igualdad.

6. ¿Cuál es el órgano colegiado permanente para la integración de la perspectiva de género en el proceso presupuestario de los diferentes órganos de la Comunidad Autónoma de Cantabria?

a) La Comisión para la integración de la perspectiva de género en los Presupuestos de la Comunidad Autónoma de Cantabria.

b) La Comisión para la Igualdad de Género.

c) El Comité para la integración de la perspectiva de género en los Presupuestos de la Comunidad Autónoma de Cantabria.

d) El Consejo para la integración de la perspectiva de género en los Presupuestos de la Comunidad Autónoma de Cantabria.

7. Señala uno de los principios generales que rigen y orientan la actuación de los poderes públicos en el marco de sus competencias para la consecución de los fines de la Ley 2/2019, de 7 de marzo:

a) El empoderamiento de las mujeres y su participación en todas las políticas y acciones públicas, así como la eliminación de roles sociales y de estereotipos de género.

b) La participación y representación equilibrada de mujeres y hombres en los distintos órganos de representación o de toma de decisiones.

c) La integración transversal de la perspectiva de género en todas las políticas y acciones públicas.

d) Todas las respuestas son correctas.

8. La evaluación continuada de las políticas de igualdad de género y de la incorporación de la perspectiva de género en las actuaciones de la Administración de la Comunidad Autónoma, su sector público institucional y del grado de cumplimiento de la Ley 2/2019 corresponde a:

a) La Dirección General competente en materia de igualdad de género.

b) El Consejo de la Mujer.

c) El Observatorio de Igualdad de Género.
d) La Comisión para la Igualdad de Género.

9. La Ley 2/2019, de 7 de marzo, será de aplicación a:

a) A todas las entidades que realicen actividades de educación o de enseñanza superior en Cantabria financiadas con fondos públicos.
b) Al personal al servicio de la Administración de Justicia.
c) A la Administración de la Comunidad Autónoma de Cantabria así como a todas las entidades que conforman el sector público de la Comunidad Autónoma de Cantabria.
d) Todas las respuestas son correctas.

10. Los principios generales establecidos en la Ley de Cantabria 2/2019, de 7 de marzo, para la igualdad efectiva entre mujeres y hombres, según establece su artículo 3.1, regirán y orientarán:

a) La actuación de los poderes públicos en el marco de sus competencias.
b) La actuación de las personas físicas y jurídicas, sean públicas o privadas.
c) La actuación de la sociedad en su conjunto.
d) La actuación de todos los ciudadanos de Cantabria.

11. Según la Ley 2/2019, la dirección general competente en materia de igualdad de género actúa como órgano coordinador de:

a) Las políticas presupuestarias generales de la Comunidad Autónoma.
b) Las políticas de transversalidad de género y de acción positiva a favor de las mujeres.
c) Las políticas de función pública y selección de personal.
d) Las políticas de coordinación parlamentaria y participación ciudadana.

12. Señala cuál de las siguientes actuaciones forma parte de las funciones de la Dirección General competente en materia de igualdad de género:

a) Apoyar a la adecuación y creación de estructuras, programas y procedimientos para integrar la perspectiva de género en su actividad administrativa.
b) Realizar estudios e investigaciones sobre la situación de mujeres y hombres desde la perspectiva de género.
c) Desarrollar programas que fomenten la autonomía personal y económica de las mujeres e impulsar el empleo femenino.
d) Todas las respuestas son correctas.

13. En relación con las entidades locales, la Administración de la Comunidad Autónoma de Cantabria promoverá que incorporen la perspectiva de género:

a) Solo en sus planes económicos y presupuestarios.
b) Únicamente en sus políticas sociales.

c) En todas sus políticas, programas y acciones administrativas, así como en el uso no sexista del lenguaje y de sus imágenes.

d) Exclusivamente en los órganos de participación ciudadana.

14. ¿Cuál es, a tenor del artículo 9 de la Ley 2/2019, el órgano colegiado y permanente de apoyo a la integración del principio de igualdad y de la perspectiva de género en las actuaciones del Gobierno de Cantabria, incluida tanto la Administración General como la Institucional, en el marco de la Estrategia de Mainstreaming de Género del Gobierno de Cantabria?

a) La Consejería de Inclusión Social, Juventud, Familias e Igualdad.

b) El Observatorio de Igualdad de Género.

c) El Consejo de la Mujer.

d) La Comisión para la Igualdad de Género del Gobierno de Cantabria.

15. La Ley de Cantabria 2/2019, de 7 de marzo, para la Igualdad Efectiva entre Mujeres y Hombres, se aplica a:

a) La actividad administrativa del Parlamento de Cantabria.

b) Las entidades privadas que suscriban contratos o convenios de colaboración o sean beneficiarias de las ayudas o subvenciones que conceda la Administración de la Comunidad Autónoma de Cantabria así como todas las entidades que conforman el sector público de la Comunidad Autónoma de Cantabria.

c) Las entidades que integran la Administración Local, sus organismos autónomos, consorcios, fundaciones y demás entidades con personalidad jurídica propia en los que sea mayoritaria la representación directa de dichas entidades, en el marco de la legislación básica que les resulte de aplicación y conforme al principio constitucional de autonomía local.

d) Todas las respuestas son correctas.

En MADTEST tienes **más preguntas de este tema**, y todos tus avances quedan registrados y se reflejan en el ranking.

¡Supera tus límites con MADTEST!

Solución al test n.º 3

1. c) La Ley 2/2019, de 7 de marzo.

2. c) A los municipios y demás entidades locales.

3. b) A la Consejería competente en materia de igualdad de género.

4. c) La participación y representación prioritaria de mujeres en los distintos órganos de representación o de toma de decisiones.

5. c) El Observatorio de Igualdad de Género.

6. a) La Comisión para la integración de la perspectiva de género en los Presupuestos de la Comunidad Autónoma de Cantabria.

7. d) Todas las respuestas son correctas.

8. a) La Dirección General competente en materia de igualdad de género.

9. d) Todas las respuestas son correctas.

10. a) La actuación de los poderes públicos en el marco de sus competencias.

11. b) Las políticas de transversalidad de género y de acción positiva a favor de las mujeres.

12. d) Todas las respuestas son correctas.

13. c) En todas sus políticas, programas y acciones administrativas, así como en el uso no sexista del lenguaje y de sus imágenes.

14. d) La Comisión para la Igualdad de Género del Gobierno de Cantabria.

15. d) Todas las respuestas son correctas.

TEST N.º 4

El Real Decreto Legislativo 5/2015, de 30 de octubre, por el que se aprueba el Texto Refundido de la Ley del Estatuto Básico del Empleado Público: Título I: Objeto y ámbito de aplicación; Título II: Personal al servicio de las Administraciones Públicas; Título III: Capítulo I: (Derechos de los empleados públicos). Capítulo V: (Derecho a la jornada de trabajo, permisos y vacaciones). Capítulo VI (Deberes de los empleados públicos. Código de conducta). Título VII: Régimen disciplinario

1. El vigente texto refundido de la Ley del Estatuto Básico del Empleado Público (EBEP) fue aprobado por:

a) Real Decreto Legislativo 5/2015, de 30 de octubre.
b) Real Decreto Legislativo 2/2015, de 23 de octubre.
c) Real Decreto Legislativo 3/2015, de 23 de octubre.
d) Real Decreto Legislativo 6/2015, de 30 de octubre.

2. El EBEP contiene:

a) Aquello que es común al conjunto de los empleados públicos de todas las Administraciones Públicas.
b) Las normas legales específicas aplicables a los empleados públicos de todas las Administraciones Públicas.
c) Aquello que es común al conjunto de los funcionarios de todas las Administraciones Públicas, más las normas legales específicas aplicables al personal laboral a su servicio.
d) Aquello que es común al conjunto del personal laboral de todas las Administraciones Públicas, más las normas legales específicas aplicables al personal funcionario a su servicio.

3. Para todo el personal de las Administraciones Públicas no incluido en su ámbito de aplicación, el EBEP tendrá carácter:

a) Consultivo.
b) Voluntario.

c) Supletorio.

d) Interpretativo.

4. Según el artículo 1.3 del Texto Refundido de la Ley del Estatuto Básico del Empleado Público, uno de los fundamentos de actuación reflejados por el EBEP es:

a) La igualdad de trato entre mujeres y hombres.

b) La prevención de riesgos laborales.

c) La protección de datos de carácter personal.

d) La equiparación salarial entre Administraciones Públicas.

5. El artículo 1.3 del EBEP, refleja como un fundamento de actuación el servicio a los ciudadanos y a:

a) Los intereses generales.

b) Los derechos y libertades de los ciudadanos.

c) Las Administraciones Públicas.

d) La Ley y el Derecho.

6. Según el artículo 8 del Texto Refundido de la Ley del Estatuto Básico del Empleado Público, aprobado por el Real Decreto Legislativo 5/2015, de 30 de octubre, son empleados públicos quienes desempeñan funciones ………….. en las Administraciones Públicas al servicio de los intereses generales. Señala la palabra que falta en la anterior frase:

a) Directivas.

b) Exclusivas.

c) Administrativas.

d) Retribuidas.

7. Basándonos en el artículo 8 del Texto Refundido de la Ley del Estatuto Básico del Empleado Público, no es una clase de empleado público:

a) Funcionario de carrera.

b) Personal laboral.

c) Funcionario interino.

d) Funcionario eventual.

8. Es una característica de la figura del funcionario de carrera:

a) Presta sus servicios en virtud de un contrato de trabajo formalizado por escrito.

b) Realiza en exclusiva funciones expresamente calificadas como de confianza o asesoramiento especial.

c) Relación regulada por el Derecho Laboral.

d) Desempeño de servicios profesionales retribuidos de carácter permanente.

9. Podrá nombrarse personal funcionario interino por exceso o acumulación de tareas:

a) Por plazo máximo de nueve meses, dentro de un periodo de dieciocho meses.
b) Por un plazo mínimo de 3 meses y máximo de 1 año.
c) Por un plazo máximo de 3 años, ampliable hasta doce meses más por las leyes de Función Pública que se dicten en desarrollo del TR-LEBEP.
d) Por plazo máximo de doce meses, dentro de un periodo de dieciocho meses.

10. Es personal eventual el que, en virtud de nombramiento y con carácter no permanente, solo realiza funciones expresamente calificadas como de confianza o:

a) Representación política.
b) Asesoramiento especial.
c) Gran responsabilidad.
d) Dirección delegada.

11. En relación con el personal directivo, el EBEP establece que:

a) Su designación atenderá a principios de mérito y capacidad.
b) Su designación atenderá a criterios de eficacia y eficiencia.
c) La determinación de sus condiciones de empleo serán objeto de negociación colectiva.
d) Cuando el personal directivo reúna la condición de funcionario estará sometido a la relación laboral de carácter especial de alta dirección.

12. La designación de personal directivo en las Administraciones Públicas atenderá a criterios de:

a) Mérito y capacidad.
b) Publicidad y concurrencia.
c) Idoneidad.
d) Antigüedad y buen comportamiento.

13. A tenor del artículo 14 del EBEP los empleados públicos tienen derecho:

a) A la inamovilidad en la condición de funcionario de carrera.
b) A la formación continua y a la actualización permanente de sus conocimientos y capacidades profesionales, preferentemente fuera del horario laboral.
c) A la libertad de expresión, sin restricción alguna.
d) A participar en la consecución de los objetivos atribuidos a la unidad donde preste sus servicios y a ser consultado por sus superiores por las tareas a desarrollar.

14. Conforme al EBEP, los funcionarios públicos tendrán un permiso por enfermedad grave de un familiar dentro del primer grado de consanguinidad o afinidad, de:

a) Tres días naturales.
b) Tres días hábiles.

c) Cinco días naturales.
d) Cinco días hábiles.

15. En el permiso del progenitor diferente de la madre biológica por nacimiento, guarda con fines de adopción, acogimiento o adopción de un hijo o hija, serán en todo caso obligatorias y habrán de disfrutarse a jornada completa:

a) Las seis semanas ininterrumpidas inmediatamente posteriores al hecho causante.
b) Las tres semanas inmediatamente posteriores al hecho causante.
c) Los quince días inmediatamente posteriores al hecho causante.
d) Las cuatro semanas inmediatamente posteriores al hecho causante.

En MADTEST tienes **más preguntas de este tema**, y todos tus avances quedan registrados y se reflejan en el ranking.

¡Supera tus límites con MADTEST!

Solución al test n.º 4

1. a) Real Decreto Legislativo 5/2015, de 30 de octubre.

2. c) Aquello que es común al conjunto de los funcionarios de todas las Administraciones Públicas, más las normas legales específicas aplicables al personal laboral a su servicio.

3. c) Supletorio.

4. a) La igualdad de trato entre mujeres y hombres.

5. a) Los intereses generales.

6. d) Retribuidas.

7. d) Funcionario eventual.

8. d) Desempeño de servicios profesionales retribuidos de carácter permanente.

9. a) Por plazo máximo de nueve meses, dentro de un periodo de dieciocho meses.

10. b) Asesoramiento especial.

11. a) Su designación atenderá a principios de mérito y capacidad.

12. c) Idoneidad.

13. a) A la inamovilidad en la condición de funcionario de carrera.

14. d) Cinco días hábiles.

15. a) Las seis semanas ininterrumpidas inmediatamente posteriores al hecho causante.

TEST N.º 5

VIII Convenio Colectivo para el personal laboral al Servicio de la Administración de la Comunidad de Cantabria: Título I: Objeto y ámbito de aplicación; Título II: Organización del Trabajo; Título III: Provisión de Vacantes, Selección de Personal y Contratación; Título IV: Formación y Perfeccionamiento del personal; Título V: Clasificación Profesional; Título XIII: Salud laboral

1. Se incluye en el ámbito de aplicación del VIII Convenio Colectivo para el personal laboral al Servicio de la Administración de la Comunidad de Cantabria:

a) El personal eventual.
b) El personal laboral del Servicio Cántabro de Salud.
c) El personal de alta dirección.
d) El personal laboral de la Agencia Cántabra de Administración Tributaria.

2. ¿De cuántos miembros se compone la *Comisión de Interpretación, Estudio, Seguimiento y Aplicación* (CIESA) del VIII Convenio?

a) 8.
b) 12.
c) 14.
d) 16.

3. Los acuerdos de la CIESA deberán adoptarse:

a) Por la mayoría simple de sus miembros.
b) Por más del 50 por 100 de cada una de las dos representaciones de la Comisión.
c) Al menos por 8 de sus miembros.
d) Por la totalidad de sus miembros.

4. La *Subcomisión para la Igualdad* que velará en el ámbito del VIII Convenio por el desarrollo y cumplimiento de la legislación para la igualdad, se compone de:

a) 8 miembros.
b) 10 miembros.

c) 12 miembros.

d) Un representante de cada una de las Organizaciones Sindicales con representación en el Comité de Empresa e igual número de representantes de la Administración.

5. Señala la opción incorrecta. Con la natural adaptación que impongan las características de la actividad a realizar en los diferentes Centros y Servicios, la organización práctica del trabajo habrá de encaminarse a la consecución de diversos fines. Señala la opción incorrecta:

a) Aumento de la eficacia en la prestación de los servicios sin detrimento de la humanización del trabajo.

b) Fomento de la participación de los trabajadores.

c) Mejora de las condiciones de trabajo de los trabajadores.

d) Simplificación del trabajo y mejora de los métodos.

6. El personal afectado por el ámbito del VIII Convenio tendrá opción de .... en la Administración General de la Comunidad Autónoma de Cantabria, sus Organismos Públicos y Entidades de Derecho Público para el supuesto de transferencias a empresas privadas. Señala la palabra que falta:

a) Mejora.

b) Permanencia.

c) Excedencia.

d) Permuta.

7. Aunque el artículo 7.2 del VIII Convenio preveía inicialmente una reserva no inferior al 5 % de las vacantes para personas con discapacidad, ¿qué porcentaje debe aplicarse actualmente conforme al artículo 59.1 del EBEP?

a) No inferior al 3 %.

b) No inferior al 5 %.

c) No inferior al 7 %.

d) No inferior al 10 %.

8. Según el artículo 8 del VIII Convenio, el trabajador que solicite el reingreso desde excedencia voluntaria tendrá derecho a ocupar provisionalmente puesto vacante de su misma categoría y, en su caso, especialidad cuya cobertura resulte necesaria y atendiendo a las necesidades organizativas de la Administración:

a) Por orden de presentación.

b) Por orden de antigüedad en la Administración autonómica.

c) Por orden de antigüedad de la excedencia.

d) Por orden de edad.

9. Según el VIII Convenio, el sistema normal de provisión definitiva de los puestos de trabajo es:

a) El concurso de traslados.
b) La comisión de servicios.
c) La libre designación.
d) La adscripción provisional.

10. Para la provisión de puestos de distinta categoría profesional a la que se ostenta, se utilizará el siguiente tipo de concurso:

a) Concurso de traslados.
b) Concurso de valoración.
c) Concurso de selección.
d) Concurso de méritos.

11. Según el VIII Convenio, para poder tomar parte en los concursos de traslados a puestos de la misma categoría profesional y, en su caso, especialidad los trabajadores fijos de la Administración de la Comunidad Autónoma de Cantabria deben llevar desempeñando su puesto de trabajo, por regla general, al menos:

a) 6 meses.
b) 1 año.
c) 2 años.
d) 4 años.

12. No se exigirá tal antigüedad para poder tomar parte en los concursos de traslados, cuando:

a) Se encuentre a disposición de un Director General de la Consejería.
b) Se participe desde la situación de suspensión de funciones.
c) Desempeñe puesto de trabajo en adscripción provisional.
d) No haya participado en ningún concurso de traslados en los últimos 5 años.

13. Según el VIII Convenio, podrán tomar parte en los concursos de méritos a puestos de distinta categoría profesional y, en su caso, especialidad dentro del mismo grupo y nivel, los trabajadores fijos de la Administración de la Comunidad Autónoma de Cantabria, cuando lleven desempeñando su puesto de trabajo al menos:

a) 6 meses.
b) 1 año.
c) 2 años.
d) 4 años.

14. ¿Cuántos Vocales debe tener la Comisión de Valoración de los méritos alegados por los concursantes?

a) Al menos dos.
b) Cuatro.
c) Seis.
d) Diez.

15. De los Vocales de la Comisión de Valoración, ¿cuántos lo son en representación de las Organizaciones Sindicales?

a) Uno.
b) Dos.
c) Cuatro.
d) Seis.

En MADTEST tienes **más preguntas de este tema**, y todos tus avances quedan registrados y se reflejan en el ranking.

¡Supera tus límites con MADTEST!

Solución al test n.º 5

1. d) El personal laboral de la Agencia Cántabra de Administración Tributaria.

2. d) 16.

3. b) Por más del 50 por 100 de cada una de las dos representaciones de la Comisión.

4. d) Un representante de cada una de las Organizaciones Sindicales con representación en el Comité de Empresa e igual número de representantes de la Administración.

5. c) Mejora de las condiciones de trabajo de los trabajadores.

6. b) Permanencia.

7. c) No inferior al 7 %.

8. a) Por orden de presentación.

9. a) El concurso de traslados.

10. d) Concurso de méritos.

11. a) 6 meses.

12. c) Desempeñe puesto de trabajo en adscripción provisional.

13. b) 1 año.

14. c) Seis.

15. b) Dos.

MATERIAS ESPECÍFICAS

TEST N.º 1

Características geométricas de las carreteras. El trazado: planta, alzado y sección transversal. Nudos: Intersecciones, glorietas y enlaces

1. ¿Qué representa la planta en una carretera?

a) La pendiente longitudinal.
b) La proyección horizontal de la carretera.
c) El perfil transversal.
d) El drenaje longitudinal.

2. ¿Qué finalidad tienen las curvas de transición?

a) Aumentar la velocidad.
b) Evitar discontinuidades en la curvatura.
c) Reducir la longitud de la vía.
d) Eliminar rectas.

3. ¿Qué curva de acuerdo se utiliza normalmente en carreteras?

a) Parábola.
b) Circunferencia.
c) Clotoide.
d) Elipse.

4. ¿Qué es el bombeo?

a) La inclinación transversal en recta para evacuar agua.
b) La pendiente longitudinal.
c) El ancho adicional en curva.
d) El drenaje subterráneo.

5. ¿Qué finalidad tiene el peralte?

a) Reducir el ancho del carril.
b) Contrarrestar la aceleración centrífuga.
c) Mejorar la señalización.
d) Disminuir la pendiente.

6. ¿Qué curva vertical tiene el punto más alto en el centro?

a) Cóncava.
b) Convexa o de cresta.
c) Circular.
d) De transición.

7. ¿Qué indica una pendiente del 5 %?

a) 5 m cada 1.000 m.
b) 5 m cada 100 m horizontales.
c) 5 grados de inclinación.
d) 5 cm por metro.

8. ¿Qué busca la coordinación entre planta y alzado?

a) Reducir expropiaciones.
b) Mejorar únicamente la estética.
c) Garantizar comodidad y seguridad.
d) Disminuir el número de curvas.

9. ¿Qué es una pérdida de orientación?

a) La desaparición total de la plataforma del campo visual.
b) Una reducción de velocidad.
c) Un cambio de rasante.
d) Una pérdida de adherencia.

10. ¿Qué elemento enlaza las rasantes?

a) Curva de acuerdo vertical.
b) Bombeo.
c) Mediana.
d) Clotoide.

11. ¿Qué perfil sirve para calcular movimientos de tierras?

a) Perfil longitudinal.
b) Perfil transversal.

c) Perfil dinámico.
d) Perfil hidráulico.

12. ¿Cuándo existe desmonte?

a) Cuando la rasante está sobre el terreno.
b) Cuando el terreno está sobre la rasante.
c) Cuando existe peralte.
d) Cuando hay cunetas.

13. ¿Cuál es el ancho habitual de un carril?

a) 2,50 m.
b) 3,00 m.
c) 3,50 m.
d) 4,00 m.

14. ¿Qué separa las calzadas de distinto sentido en autopistas?

a) Cuneta.
b) Berma.
c) Mediana.
d) Arcén.

15. ¿Cuál es el ancho mínimo de mediana cuando se prevé ampliación?

a) 2 m.
b) 5 m.
c) 10 m.
d) 15 m.

En MADTEST tienes **más preguntas de este tema**, y todos tus avances quedan registrados y se reflejan en el ranking.

¡Supera tus límites con MADTEST!

Solución al test n.º 1

1. b) La proyección horizontal de la carretera.

2. b) Evitar discontinuidades en la curvatura.

3. c) Clotoide.

4. a) La inclinación transversal en recta para evacuar agua.

5. b) Contrarrestar la aceleración centrífuga.

6. b) Convexa o de cresta.

7. b) 5 m cada 100 m horizontales.

8. c) Garantizar comodidad y seguridad.

9. a) La desaparición total de la plataforma del campo visual.

10. a) Curva de acuerdo vertical.

11. b) Perfil transversal.

12. b) Cuando el terreno está sobre la rasante.

13. c) 3,50 m.

14. c) Mediana.

15. c) 10 m.

TEST N.º 2

Obras de carreteras: movimientos de tierras, desmontes, terraplenes y pedraplenes. Materiales. Clasificación de los suelos según el PG3. Maquinaria. Unidades de obra

1. ¿Qué son las explanaciones en una carretera?

a) Obras de señalización.
b) Operaciones sobre el terreno natural para obtener una superficie adecuada.
c) Trabajos de asfaltado.
d) Actuaciones de drenaje superficial.

2. ¿Qué ocurre cuando la carretera discurre más elevada que el terreno natural?

a) Se ejecuta un desmonte.
b) Se forma un pedraplén.
c) Se construye un terraplén.
d) Se realiza una excavación especial.

3. ¿Qué operación se realiza antes de comenzar los movimientos de tierras?

a) Compactación final.
b) Replanteo.
c) Refino de taludes.
d) Hormigonado.

4. ¿Qué operación sigue a la carga en el esquema general del movimiento de tierras?

a) Compactación.
b) Descarga.
c) Acarreo.
d) Humectación.

5. ¿Qué es el desbroce?

a) La compactación del terreno.
b) La retirada de vegetación y materiales indeseables.
c) El perfilado de taludes.
d) La excavación de zanjas.

6. ¿Qué profundidad mínima deben alcanzar las raíces eliminadas en explanación?

a) 20 cm.
b) 30 cm.
c) 50 cm.
d) 1 m.

7. ¿Cómo debe almacenarse la tierra vegetal?

a) En montones superiores a 5 m.
b) Mezclada con escombros.
c) En montones de hasta 2 m de altura.
d) Sumergida en agua.

8. ¿Qué es la demolición?

a) El drenaje de taludes.
b) La eliminación de construcciones existentes.
c) La excavación de préstamos.
d) El refino de explanadas.

9. Qué método de demolición utiliza explosivos?

a) Mixta.
b) Por impacto.
c) Con explosivos.
d) Manual.

10. ¿Qué profundidad mínima deben demolerse los cimientos?

a) 20 cm bajo relleno.
b) 30 cm bajo rasante.
c) 50 cm bajo relleno o desmonte.
d) 1 m bajo explanada.

11. ¿Qué es la escarificación?

a) La compactación final del firme.
b) La disgregación superficial del terreno.

c) La retirada de agua.
d) El extendido de áridos.

12. ¿Cuál es la profundidad mínima de escarificación?

a) 5 cm.
b) 10 cm.
c) 15 cm.
d) 40 cm.

13. ¿Qué busca la compactación de materiales escarificados?

a) Reducir humedad.
b) Igualar densidades exigidas.
c) Aumentar el drenaje.
d) Disminuir el espesor.

14. ¿Qué es un supercompactador?

a) Una excavadora ligera.
b) Un rodillo vibratorio pequeño.
c) Una máquina compactadora de gran peso.
d) Una motoniveladora.

15. ¿Qué masa mínima debe tener un supercompactador?

a) 20 t.
b) 35 t.
c) Más de 50 t.
d) 100 t.

En MADTEST tienes **más preguntas de este tema**, y todos tus avances quedan registrados y se reflejan en el ranking.

¡Supera tus límites con MADTEST!

Solución al test n.º 2

1. b) Operaciones sobre el terreno natural para obtener una superficie adecuada.

2. c) Se construye un terraplén.

3. b) Replanteo.

4. c) Acarreo.

5. b) La retirada de vegetación y materiales indeseables.

6. c) 50 cm.

7. c) En montones de hasta 2 m de altura.

8. b) La eliminación de construcciones existentes.

9. c) Con explosivos.

10. c) 50 cm bajo relleno o desmonte.

11. b) La disgregación superficial del terreno.

12. c) 15 cm.

13. b) Igualar densidades exigidas.

14. c) Una máquina compactadora de gran peso.

15. c) Más de 50 t.

TEST N.º 3

Obras de carreteras: Muros en obras y conservación de carreteras. Problemas geotécnicos habituales en obras lineales, causas y medidas de tratamiento. Protección de infraestructuras frente a la caída de rocas

1. ¿Cuál es la principal función de un muro de contención?

a) Facilitar el drenaje de carreteras.
b) Resistir la presión lateral del terreno.
c) Mejorar la señalización vial.
d) Reducir el tráfico pesado.

2. ¿Qué tipo de muro depende principalmente de su propio peso para resistir empujes?

a) Muro anclado.
b) Muro prefabricado.
c) Muro de gravedad.
d) Muro vegetado.

3. ¿Qué material de refuerzo utilizan los muros de hormigón armado?

a) Geotextiles.
b) Madera tratada.
c) Barras de acero.
d) Arena compactada.

4. ¿Qué característica destaca en los muros de gaviones?

a) Son impermeables.
b) Son totalmente rígidos.
c) Permiten drenaje y flexibilidad.
d) Necesitan mortero.

5. ¿Qué elemento utilizan los muros de suelo reforzado?

a) Explosivos.
b) Geosintéticos.
c) Tuberías metálicas.
d) Hormigón ciclópeo.

6. ¿Qué ventaja tienen los muros prefabricados?

a) Elevado tiempo de ejecución.
b) Instalación rápida.
c) Necesitan más excavación.
d) Son siempre temporales.

7. ¿Qué inconveniente principal presentan los muros de madera?

a) Exceso de peso.
b) Baja permeabilidad.
c) Vida útil limitada.
d) Coste muy elevado.

8. ¿Qué caracteriza a los muros de piedra seca?

a) Utilizan hormigón armado.
b) Se construyen sin mortero.
c) Emplean acero corrugado.
d) Incorporan geomallas.

9. ¿Qué función tienen los anclajes en un muro?

a) Facilitar drenaje.
b) Aumentar estabilidad adicional.
c) Reducir peso del muro.
d) Mejorar la estética.

10. ¿Qué técnica utiliza concreto proyectado sobre malla metálica?

a) Muro de gaviones.
b) Muro de sacos.
c) Muro shotcrete.
d) Muro de piedra seca.

11. ¿Qué tipo de muro incorpora vegetación para estabilizar el terreno?

a) Muro ciclópeo.
b) Muro vegetado.

c) Muro corrugado.
d) Muro temporal.

12. ¿Con qué frecuencia se recomienda la inspección visual de los muros?

a) Cada mes.
b) Cada seis meses.
c) Cada año.
d) Cada diez años.

13. ¿Cada cuánto tiempo debe realizarse una inspección detallada?

a) Cada 2 años.
b) Cada 5 años.
c) Cada 8 años.
d) Cada 15 años.

14. ¿Qué técnica se emplea para reparar grietas profundas?

a) Compactación dinámica.
b) Inyección de resinas.
c) Excavación lateral.
d) Reperfilado de taludes.

15. ¿Qué problema provoca la acumulación de agua detrás de un muro?

a) Disminuye la presión lateral.
b) Aumenta la presión hidrostática.
c) Reduce erosión superficial.
d) Mejora compactación.

En MADTEST tienes **más preguntas de este tema**, y todos tus avances quedan registrados y se reflejan en el ranking.

¡Supera tus límites con MADTEST!

Solución al test n.º 3

1. b) Resistir la presión lateral del terreno.

2. c) Muro de gravedad.

3. c) Barras de acero.

4. c) Permiten drenaje y flexibilidad.

5. b) Geosintéticos.

6. b) Instalación rápida.

7. c) Vida útil limitada.

8. b) Se construyen sin mortero.

9. b) Aumentar estabilidad adicional.

10. c) Muro shotcrete.

11. b) Muro vegetado.

12. c) Cada año.

13. b) Cada 5 años.

14. b) Inyección de resinas.

15. b) Aumenta la presión hidrostática.

Drenaje superficial y subterráneo. Norma 5.2-IC. Drenaje superficial. Orden Circular 17/2003, Recomendaciones para el proyecto y construcción del drenaje subterráneo en obras de carretera. Zanjas drenantes transversales en las transiciones entre secciones de desmonte y terraplén. Pequeñas obras de paso

1. ¿Cuál es el principal objetivo del drenaje en carreteras?

a) Incrementar la velocidad de circulación.
b) Evitar la acumulación de agua en la infraestructura.
c) Reducir el número de carriles.
d) Mejorar la señalización horizontal.

2. ¿Qué norma regula el drenaje superficial en carreteras?

a) Eurocódigo 7.
b) Norma 6.1-IC.
c) Norma 5.2-IC.
d) PG-4.

3. ¿Qué tipo de cuenca se genera por la construcción de la carretera?

a) Cuenca principal.
b) Cuenca topográfica.
c) Cuenca secundaria.
d) Cuenca natural.

4. ¿Qué debe evitarse en las superficies pavimentadas de la plataforma?

a) El uso de sumideros.
b) El vertido de aguas externas.
c) La evacuación de escorrentía.
d) Las pendientes transversales.

5. ¿Qué valor mínimo debe tener el resguardo de la calzada según la norma?

a) 2 cm.
b) 3 cm.
c) 5 cm.
d) 10 cm.

6. ¿Qué elemento recoge la escorrentía de las medianas?

a) Bajantes exclusivamente.
b) Drenes verticales.
c) Cunetas y sumideros.
d) Pozos de bombeo únicamente.

7. ¿Qué elemento se dispone en desmontes para recoger escorrentías?

a) Cunetas de pie de desmonte.
b) Barreras dinámicas.
c) Estribos abiertos.
d) Pantallas drenantes.

8. ¿Qué función tienen las bajantes?

a) Incrementar infiltración.
b) Conducir agua hacia cotas inferiores.
c) Reducir pendiente longitudinal.
d) Evitar evaporación.

9. ¿Qué son los caces?

a) Conductos presurizados.
b) Elementos de bombeo.
c) Canales superficiales pavimentados.
d) Pozos de drenaje profundo.

10. ¿Qué forma pueden tener las cunetas?

a) Solo circular.
b) Únicamente rectangular.
c) Triangular o trapecial.
d) Exclusivamente parabólica.

11. ¿Por qué las bajantes deben estar revestidas?

a) Para reducir peso.
b) Por las grandes velocidades del agua.

c) Para aumentar filtraciones.
d) Por motivos estéticos.

12. ¿Qué elemento capta agua y la envía a un colector?

a) Imbornal.
b) Sumidero.
c) Escollera.
d) Cunetón.

13. ¿Qué función tienen los areneros?

a) Incrementar caudal.
b) Favorecer sedimentación de partículas.
c) Impulsar agua a presión.
d) Aumentar infiltración.

14. ¿Qué retienen las balsas de retención?

a) Únicamente sedimentos finos.
b) Flotantes e hidrocarburos.
c) Aire comprimido.
d) Hormigón residual.

15. ¿Qué ocurre cuando no es posible evacuar agua por gravedad?

a) Se elimina el drenaje.
b) Se instala un bombeo.
c) Se aumenta el peralte.
d) Se reduce el caudal.

Solución al test n.º 4

1. b) Evitar la acumulación de agua en la infraestructura.

2. c) Norma 5.2-IC.

3. c) Cuenca secundaria.

4. b) El vertido de aguas externas.

5. c) 5 cm.

6. c) Cunetas y sumideros.

7. a) Cunetas de pie de desmonte.

8. b) Conducir agua hacia cotas inferiores.

9. c) Canales superficiales pavimentados.

10. c) Triangular o trapecial.

11. b) Por las grandes velocidades del agua.

12. b) Sumidero.

13. b) Favorecer sedimentación de partículas.

14. b) Flotantes e hidrocarburos.

15. b) Se instala un bombeo.

TEST N.º 5

Obras de carreteras: Capas de firme y materiales. Mezclas bituminosas, tratamientos superficiales mediante riegos con gravilla. Bacheos. Maquinaria y unidades de obra

1. ¿Qué capas forman el pavimento dentro del firme?

a) Subbase y explanada.
b) Capa de rodadura y capa intermedia.
c) Subbase y base.
d) Base y explanada.

2. ¿Qué misión tiene principalmente la capa base?

a) Función estética.
b) Función impermeabilizante.
c) Función estructural resistente.
d) Función de señalización.

3. ¿Cuál es la función de la subbase?

a) Mejorar la señalización horizontal.
b) Uniformizar el apoyo del firme sobre la explanada.
c) Sustituir la capa de rodadura.
d) Incrementar la velocidad de circulación.

4. ¿Qué esfuerzos absorbe completamente el pavimento?

a) Verticales.
b) De torsión.
c) Horizontales.
d) Sísmicos.

5. ¿Qué característica pueden tener algunos pavimentos drenantes?

a) Ser completamente rígidos.
b) Tener la capa de rodadura permeable.
c) Carecer de subbase.
d) Utilizar únicamente hormigón.

6. ¿Qué material representa mayor proporción en las carreteras?

a) Acero.
b) Hormigón armado.
c) Suelo.
d) Madera.

7. ¿Qué ocurre cuanto más próxima está una capa al pavimento?

a) Menor calidad necesita.
b) Mayor humedad admite.
c) Mayor calidad debe tener.
d) Menor compactación requiere.

8. ¿Cuál es la clasificación de mayor calidad según el PG-3?

a) Suelo marginal.
b) Suelo tolerable.
c) Suelo adecuado.
d) Suelo seleccionado.

9. ¿Qué ensayo informa sobre la plasticidad de un suelo?

a) C.B.R.
b) Próctor.
c) Límites de Atterberg.
d) Desgaste Los Ángeles.

10. ¿Qué fenómeno aparece en algunos suelos arcillosos al humedecerse?

a) Compactación.
b) Hinchamiento.
c) Disgregación térmica.
d) Carbonatación.

11. ¿Qué ensayo sirve para obtener una densidad máxima de referencia?

a) Ensayo Marshall.
b) Ensayo Próctor.

c) Ensayo de abrasión.
d) Ensayo triaxial.

12. ¿Qué caracteriza a los áridos granulares?

a) Superficies rugosas y aristas vivas.
b) Forma redondeada y superficies lisas.
c) Elevado contenido arcilloso.
d) Origen siderúrgico.

13. ¿Dónde se producen los áridos de machaqueo?

a) En playas.
b) En túneles.
c) En canteras.
d) En terraplenes.

14. ¿Qué áridos proceden de residuos de construcción y demolición?

a) Naturales.
b) Granulares.
c) Reciclados.
d) Silíceos.

15. ¿Qué áridos presentan mayor dureza y estabilidad química?

a) Calizos.
b) Arcillosos.
c) Silíceos.
d) Marginales.

Solución al test n.º 5

1. b) Capa de rodadura y capa intermedia.

2. c) Función estructural resistente.

3. b) Uniformizar el apoyo del firme sobre la explanada.

4. c) Horizontales.

5. b) Tener la capa de rodadura permeable.

6. c) Suelo.

7. c) Mayor calidad debe tener.

8. d) Suelo seleccionado.

9. c) Límites de Atterberg.

10. b) Hinchamiento.

11. b) Ensayo Próctor.

12. b) Forma redondeada y superficies lisas.

13. c) En canteras.

14. c) Reciclados.

15. c) Silíceos.

**Refuerzo y rehabilitación de firmes. Reciclado de firmes.
Deterioros de firmes, clasificación y tratamiento**

1. ¿Qué finalidad tienen el refuerzo y la rehabilitación de firmes?

a) Sustituir completamente todas las carreteras.
b) Restaurar o mejorar la capacidad estructural y funcional.
c) Incrementar únicamente la velocidad de circulación.
d) Reducir el espesor del firme.

2. ¿Cuándo se aplica principalmente el refuerzo de firmes?

a) Cuando el firme está completamente destruido.
b) Cuando la estructura conserva cierta integridad.
c) Solo en carreteras urbanas.
d) Exclusivamente en túneles.

3. ¿En qué consiste la técnica de superposición de capas?

a) Retirar completamente el firme.
b) Añadir nuevas capas bituminosas sobre el firme existente.
c) Compactar únicamente la explanada.
d) Aplicar riegos superficiales.

4. ¿Qué ensayos se mencionan para evaluar el estado del firme antes del refuerzo?

a) Ensayos de soldadura.
b) Ensayos químicos únicamente.
c) Deflectometría y ensayos de carga.
d) Ensayos sísmicos.

5. ¿Qué materiales pueden formar las geomallas?

a) Madera y hormigón.
b) Fibra de vidrio o polímeros sintéticos.
c) Arcilla compactada.
d) Acero inoxidable exclusivamente.

6. ¿Qué objetivo tiene el reperfilado?

a) Reducir el drenaje.
b) Corregir deformaciones superficiales.
c) Eliminar la señalización horizontal.
d) Compactar terraplenes.

7. ¿Qué evita el sellado de fisuras?

a) La compactación del firme.
b) La filtración de agua hacia capas inferiores.
c) El desgaste de neumáticos.
d) El aumento de tráfico pesado.

8. ¿Qué caracteriza al reciclado de firmes?

a) La demolición completa del pavimento.
b) La reutilización de materiales existentes.
c) El uso exclusivo de hormigón.
d) La eliminación de capas bituminosas.

9. ¿Qué se mezcla en el reciclado en frío?

a) Tierra vegetal y cemento.
b) Material triturado con agentes estabilizantes.
c) Agua y áridos naturales.
d) Acero y polímeros.

10. ¿Para qué carreteras resulta especialmente adecuado el reciclado en frío?

a) Autopistas de tráfico intenso.
b) Carreteras rurales o de bajo tráfico.
c) Vías ferroviarias.
d) Aeropuertos.

11. ¿Qué ocurre en el reciclado en caliente?

a) Se destruyen completamente los materiales.
b) Los materiales se calientan y reutilizan.

c) Se mezcla exclusivamente hormigón.
d) Se compacta el terreno natural.

12. ¿Qué ventaja presenta el reciclado en planta?

a) Menor control técnico.
b) Mayor rapidez exclusivamente.
c) Control más riguroso de calidad.
d) Eliminación total de ligantes.

13. ¿Cómo pueden clasificarse las fisuras?

a) Horizontales y verticales únicamente.
b) Longitudinales, transversales o reflejadas.
c) Simples y dobles.
d) Profundas y superficiales.

14. ¿Qué son las roderas?

a) Fisuras longitudinales.
b) Hundimientos provocados por tráfico repetido.
c) Fallos de drenaje lateral.
d) Desprendimientos de señalización.

15. ¿Qué deterioros afectan especialmente a la funcionalidad y seguridad?

a) Baches y desgaste superficial.
b) Señales verticales.
c) Cunetas revestidas.
d) Taludes laterales.

En MADTEST tienes **más preguntas de este tema**, y todos tus avances quedan registrados y se reflejan en el ranking.

¡Supera tus límites con MADTEST!

Solución al test n.º 6

1. b) Restaurar o mejorar la capacidad estructural y funcional.

2. b) Cuando la estructura conserva cierta integridad.

3. b) Añadir nuevas capas bituminosas sobre el firme existente.

4. c) Deflectometría y ensayos de carga.

5. b) Fibra de vidrio o polímeros sintéticos.

6. b) Corregir deformaciones superficiales.

7. b) La filtración de agua hacia capas inferiores.

8. b) La reutilización de materiales existentes.

9. b) Material triturado con agentes estabilizantes.

10. b) Carreteras rurales o de bajo tráfico.

11. b) Los materiales se calientan y reutilizan.

12. c) Control más riguroso de calidad.

13. b) Longitudinales, transversales o reflejadas.

14. b) Hundimientos provocados por tráfico repetido.

15. a) Baches y desgaste superficial.

TEST N.º 7

Señalización, balizamiento y elementos de seguridad: Señalización horizontal, señalización vertical y señalización de obras. Sistemas de contención de vehículos. Instalación de reductores de velocidad y bandas transversales de alerta

1. ¿Qué finalidad tienen las señales verticales de circulación?

a) Decorar las carreteras.
b) Informar, ordenar o regular la circulación.
c) Sustituir el pavimento.
d) Incrementar la anchura de la vía.

2. ¿Qué tres elementos forman una señal vertical?

a) Placa, pintura y hormigón.
b) Símbolos, superficie y sustentación.
c) Tornillos, acero y balizas.
d) Pictogramas, semáforos y calzada.

3. ¿Cómo se denomina una señal cuya placa termina en punta direccional?

a) Baliza cilíndrica.
b) Cartel flecha.
c) Panel TB-1.
d) Hito de vértice.

4. ¿Cuál es uno de los objetivos de la señalización vertical?

a) Aumentar la velocidad máxima.
b) Incrementar la seguridad de la circulación.
c) Reducir el número de carriles.
d) Eliminar las marcas viales.

5. ¿Qué principios básicos debe cumplir la señalización?

a) Complejidad y variedad.
b) Claridad, sencillez y uniformidad.
c) Rigidez y repetición.
d) Simetría y coloración.

6. ¿Qué material se emplea habitualmente en las señales verticales?

a) Madera laminada.
b) Acero galvanizado.
c) Hormigón armado.
d) PVC expandido exclusivamente.

7. ¿Qué significa que una señal sea retrorreflectante?

a) Que absorbe totalmente la luz.
b) Que devuelve parte de la luz recibida.
c) Que emite luz propia.
d) Que cambia de color automáticamente.

8. ¿Dónde se colocan normalmente las señales en carreteras convencionales?

a) En el margen izquierdo.
b) En ambos lados obligatoriamente.
c) En el margen derecho.
d) Sobre la mediana exclusivamente.

9. ¿Qué inclinación presenta el plano de la señal respecto al eje de la vía?

a) 90°.
b) 85°.
c) 93°.
d) 100°.

10. ¿Qué forma tienen las señales de advertencia de peligro?

a) Circular.
b) Cuadrada.
c) Triangular con vértice hacia arriba.
d) Octogonal.

11. ¿Qué color tienen las señales de obligación?

a) Amarillo.
b) Azul.

c) Negro.
d) Verde.

12. ¿Qué forma tiene la señal STOP?

a) Triangular.
b) Circular.
c) Octogonal.
d) Rectangular.

13. ¿Cuántos destinos deben aparecer como máximo en un cartel de orientación?

a) Cinco.
b) Cuatro.
c) Tres.
d) Dos.

14. ¿Qué señalización regula principalmente el adelantamiento?

a) Señalización luminosa.
b) Señalización horizontal.
c) Paneles complementarios.
d) Balizas cilíndricas.

15. ¿Qué se coloca en una carretera secundaria con poca visibilidad hacia la principal?

a) Panel direccional.
b) STOP.
c) Flecha de retorno.
d) Hito de arista.

En MADTEST tienes **más preguntas de este tema**, y todos tus avances quedan registrados y se reflejan en el ranking.

¡Supera tus límites con MADTEST!

Solución al test n.º 7

1. b) Informar, ordenar o regular la circulación.

2. b) Símbolos, superficie y sustentación.

3. b) Cartel flecha.

4. b) Incrementar la seguridad de la circulación.

5. b) Claridad, sencillez y uniformidad.

6. b) Acero galvanizado.

7. b) Que devuelve parte de la luz recibida.

8. c) En el margen derecho.

9. c) 93°.

10. c) Triangular con vértice hacia arriba.

11. b) Azul.

12. c) Octogonal.

13. c) Tres.

14. b) Señalización horizontal.

15. b) STOP.

Organización de la conservación de carreteras. Tipos de operaciones de conservación. Conservación por medios propios y con medios externos. Maquinaria, materiales. Manejo de herramientas, pequeña maquinaria y utensilios mecánicos y manuales en conservación de carreteras. Vialidad invernal: maquinaria, materiales y tipos de tratamientos

1. ¿Qué objetivo tiene la conservación de carreteras en Cantabria?

a) Reducir el tráfico pesado.
b) Garantizar la seguridad y eficiencia del transporte.
c) Construir nuevas autovías exclusivamente.
d) Eliminar las operaciones de mantenimiento.

2. ¿Qué organismo es responsable de la gestión de las carreteras autonómicas en Cantabria?

a) Dirección General de Tráfico.
b) Consejería de Fomento, Vivienda, Ordenación del Territorio y Medio Ambiente.
c) Ministerio de Industria.
d) Confederación Hidrográfica.

3. ¿Qué tipo de contratos se utilizan mayoritariamente en la conservación de carreteras?

a) Contratos de señalización temporal.
b) Contratos de conservación integral.
c) Contratos urbanísticos.
d) Contratos de dragado.

4. ¿Qué ley regula la planificación y conservación de las carreteras del Estado?

a) Ley 5/1996.
b) Ley 37/2015.

c) Ley 9/2017.
d) Ley 31/1995.

5. ¿Qué regula el Real Decreto 345/2011?

a) El drenaje superficial.
b) La gestión de seguridad de infraestructuras viarias.
c) El diseño geométrico de carreteras.
d) Los movimientos de tierras.

6. ¿Qué actuación forma parte de la evaluación y diagnóstico de carreteras?

a) Inspecciones regulares y auditorías.
b) Solo asfaltado periódico.
c) Eliminación de cunetas.
d) Construcción de puentes.

7. ¿Qué máquina realiza el fresado del pavimento?

a) Extendedora.
b) Fresadora.
c) Compactador neumático.
d) Motoniveladora.

8. ¿Qué elemento de la fresadora corta el pavimento?

a) La tolva.
b) El tambor de corte.
c) El rodillo compactador.
d) La cuchilla lateral.

9. ¿Para qué se emplean las fresadoras de pavimentos?

a) Para compactar terraplenes.
b) Para rehabilitar pavimentos deteriorados.
c) Para construir túneles.
d) Para ejecutar drenajes.

10. ¿Qué sucede habitualmente con el material retirado mediante fresado?

a) Se desecha siempre.
b) Puede ser reciclado.
c) Se convierte en hormigón.
d) Se emplea únicamente en terraplenes.

11. ¿Qué transportan las cubas para riegos bituminosos?

a) Cemento seco.
b) Emulsiones bituminosas.
c) Acero galvanizado.
d) Zahorras artificiales.

12. ¿Por qué se riegan con agua las capas de suelo antes de compactarlas?

a) Para limpiar el firme.
b) Porque la compactación requiere humedad.
c) Para evitar señalización.
d) Para disminuir la densidad.

13. ¿Qué son los aditivos del hormigón?

a) Áridos gruesos especiales.
b) Sustancias que modifican propiedades del hormigón.
c) Tipos de acero corrugado.
d) Sistemas de drenaje.

14. ¿Qué función tienen los plastificantes?

a) Reducir el agua necesaria o aumentar trabajabilidad.
b) Eliminar el cemento.
c) Incrementar la corrosión.
d) Disminuir la cohesión.

15. ¿Qué función tienen los aceleradores y retardadores?

a) Variar el tiempo de fraguado.
b) Aumentar el espesor del firme.
c) Reducir el tamaño del árido.
d) Sustituir el acero.

En MADTEST tienes **más preguntas de este tema**, y todos tus avances quedan registrados y se reflejan en el ranking.

¡Supera tus límites con MADTEST!

Solución al test n.º 8

1. b) Garantizar la seguridad y eficiencia del transporte.

2. b) Consejería de Fomento, Vivienda, Ordenación del Territorio y Medio Ambiente.

3. b) Contratos de conservación integral.

4. b) Ley 37/2015.

5. b) La gestión de seguridad de infraestructuras viarias.

6. a) Inspecciones regulares y auditorías.

7. b) Fresadora.

8. b) El tambor de corte.

9. b) Para rehabilitar pavimentos deteriorados.

10. b) Puede ser reciclado.

11. b) Emulsiones bituminosas.

12. b) Porque la compactación requiere humedad.

13. b) Sustancias que modifican propiedades del hormigón.

14. a) Reducir el agua necesaria o aumentar trabajabilidad.

15. a) Variar el tiempo de fraguado.

TEST N.º 9

Ley de Carreteras de Cantabria 5/1996, de 17 de diciembre, de carreteras de Cantabria. Titularidad y clasificación. Elementos funcionales de acuerdo a la Ley 5/1996. Uso y defensa de las carreteras: Zonas de influencia de las carreteras de las limitaciones de carácter general. Autorizaciones y limitaciones en casos singulares. Infracciones y sanciones

1. ¿Qué ley regula las carreteras de la Comunidad Autónoma de Cantabria?

a) Ley 25/1988.
b) Ley 8/1981.
c) Ley 5/1996, de 17 de diciembre.
d) Ley 30/1992.

2. ¿Qué artículo de la Constitución Española permite a las comunidades autónomas asumir competencias sobre carreteras?

a) Artículo 149.
b) Artículo 148.1.5.º.
c) Artículo 22.
d) Artículo 32.

3. ¿Qué órgano ejerce la potestad reglamentaria en materia de carreteras en Cantabria?

a) La Asamblea Regional.
b) El Ayuntamiento.
c) El Consejo de Gobierno.
d) El Congreso de los Diputados.

4. ¿Qué carreteras integran la Red Regional Viaria de Cantabria?

a) Solo las carreteras estatales.
b) Las autopistas y autovías.

c) Las carreteras autonómicas y municipales.
d) Únicamente las carreteras urbanas.

5. ¿Qué organismo se encarga de la conservación y explotación de las carreteras autonómicas?

a) La Dirección General de Tráfico.
b) Los Ayuntamientos.
c) La Consejería de Obras Públicas, Vivienda y Urbanismo.
d) El Ministerio de Interior.

6. ¿Qué consideración tienen las pistas forestales según la Ley 5/1996?

a) Carreteras locales.
b) Carreteras secundarias.
c) No tienen consideración de carreteras.
d) Caminos de dominio público obligatorio.

7. ¿Qué son los caminos de servicio?

a) Caminos urbanos de uso peatonal.
b) Vías auxiliares vinculadas a actividades concretas.
c) Carreteras nacionales de corto recorrido.
d) Caminos exclusivamente agrícolas.

8. ¿Qué sucede cuando un camino de servicio se abre permanentemente al uso público?

a) Pierde su titularidad.
b) Se transforma automáticamente en vía urbana.
c) Adquiere la consideración de carretera.
d) Se convierte en dominio privado.

9. ¿Cómo se clasifican las carreteras de Cantabria según su función?

a) Estatales y provinciales.
b) Urbanas y rurales.
c) Regionales, comarcales y locales.
d) Principales y secundarias únicamente.

10. ¿Qué función tienen las carreteras regionales o primarias?

a) Comunicar exclusivamente municipios pequeños.
b) Facilitar conexiones estratégicas y tráfico importante.
c) Servir solo al tráfico agrícola.
d) Limitarse a recorridos urbanos.

11. ¿Qué finalidad tienen las carreteras comarcales o secundarias?

a) Uso exclusivamente industrial.
b) Conectar tráficos de corto recorrido y núcleos próximos.
c) Ser vías peatonales protegidas.
d) Sustituir a las carreteras locales.

12. ¿Qué misión tienen las carreteras locales?

a) Unir capitales autonómicas.
b) Soportar únicamente tráfico pesado.
c) Facilitar la circulación intermunicipal y conectar pequeños núcleos.
d) Conectar exclusivamente polígonos industriales.

13. ¿Qué documento identifica oficialmente la red autonómica de carreteras?

a) El Registro Urbanístico.
b) El Catálogo de la Red Autonómica de Carreteras.
c) El Inventario Estatal de Infraestructuras.
d) El Plan Director Municipal.

14. ¿Qué incluye la plataforma de una carretera?

a) Solo la calzada.
b) Calzada y arcenes.
c) Exclusivamente aceras y paseos.
d) Bermas y desmontes únicamente.

15. ¿Qué elemento está destinado específicamente a la circulación de vehículos?

a) La acera.
b) El paseo.
c) La calzada.
d) La berma.

En MADTEST tienes **más preguntas de este tema**, y todos tus avances quedan registrados y se reflejan en el ranking.

¡Supera tus límites con MADTEST!

Solución al test n.º 9

1. c) Ley 5/1996, de 17 de diciembre.

2. b) Artículo 148.1.5.º.

3. c) El Consejo de Gobierno.

4. c) Las carreteras autonómicas y municipales.

5. c) La Consejería de Obras Públicas, Vivienda y Urbanismo.

6. c) No tienen consideración de carreteras.

7. b) Vías auxiliares vinculadas a actividades concretas.

8. c) Adquiere la consideración de carretera.

9. c) Regionales, comarcales y locales.

10. b) Facilitar conexiones estratégicas y tráfico importante.

11. b) Conectar tráficos de corto recorrido y núcleos próximos.

12. c) Facilitar la circulación intermunicipal y conectar pequeños núcleos.

13. b) El Catálogo de la Red Autonómica de Carreteras.

14. b) Calzada y arcenes.

15. c) La calzada.

TEST N.º 10

**Real Decreto 1627/1997, por el que se establecen las disposiciones mínimas de seguridad y salud en las obras de construcción.
Equipos de protección colectiva e individual.
El Recurso preventivo**

1. ¿Qué norma establece las disposiciones mínimas de seguridad y salud en las obras de construcción?

a) Ley 54/2003.
b) Real Decreto 1627/1997.
c) Real Decreto 485/1997.
d) Ley 38/1999.

2. ¿Qué ley constituye el marco general de la prevención de riesgos laborales en España?

a) Ley 30/1992.
b) Ley 31/1995.
c) Ley 54/2007.
d) Ley 7/1985.

3. ¿Qué directiva europea transpone el Real Decreto 1627/1997?

a) Directiva 89/391/CEE.
b) Directiva 92/57/CEE.
c) Directiva 2001/45/CE.
d) Directiva 94/33/CE.

4. ¿Qué figura coordina la seguridad y salud durante la elaboración del proyecto de obra?

a) El contratista.
b) El jefe de obra.

c) El coordinador en materia de seguridad y salud.
d) El delegado sindical.

5. ¿Quién debe designar al coordinador de seguridad y salud durante la ejecución de la obra?

a) El contratista principal.
b) La Inspección de Trabajo.
c) El promotor.
d) El Ayuntamiento.

6. ¿Qué principio preventivo establece que debe anteponerse la protección colectiva a la individual?

a) Evaluar riesgos inevitables.
b) Combatir riesgos en origen.
c) Adaptar el trabajo a la persona.
d) Priorizar la protección colectiva.

7. ¿Qué documento debe elaborar el promotor cuando el presupuesto supera los límites establecidos?

a) Libro de incidencias.
b) Plan de emergencia.
c) Estudio de seguridad y salud.
d) Acta de replanteo.

8. ¿Qué documento elabora cada contratista en función de su sistema de ejecución de la obra?

a) Estudio geotécnico.
b) Plan de seguridad y salud.
c) Plan urbanístico.
d) Proyecto técnico municipal.

9. ¿Quién aprueba el plan de seguridad y salud antes del inicio de la obra?

a) El Ayuntamiento.
b) El coordinador de seguridad y salud.
c) La mutua colaboradora.
d) El jefe de personal.

10. Qué documento debe mantenerse permanentemente en la obra para control y seguimiento preventivo?

a) Libro de visitas.
b) Libro de incidencias.

c) Libro de órdenes.
d) Registro horario.

11. ¿Quién puede realizar anotaciones en el libro de incidencias?

a) Únicamente el promotor.
b) Solo la Inspección de Trabajo.
c) Personas con responsabilidades preventivas autorizadas.
d) Exclusivamente los trabajadores autónomos.

12. ¿Qué derecho tiene el trabajador ante un riesgo grave e inminente?

a) Solicitar vacaciones.
b) Interrumpir su actividad y abandonar el lugar de trabajo.
c) Negarse a usar EPIs.
d) Cambiar unilateralmente de puesto.

13. ¿Quién puede ordenar la paralización inmediata de los trabajos por riesgo grave e inminente?

a) El delegado sindical.
b) El Inspector de Trabajo y Seguridad Social.
c) El encargado de almacén.
d) El servicio de limpieza.

14. ¿Qué deben garantizar contratistas y subcontratistas respecto a los trabajadores?

a) Exclusivamente el salario.
b) Formación universitaria obligatoria.
c) Información adecuada sobre seguridad y salud.
d) Transporte gratuito diario.

15. ¿Qué debe hacer el empresario respecto a los riesgos laborales?

a) Ocultarlos a los trabajadores.
b) Evaluarlos y prevenirlos.
c) Delegarlos totalmente en la mutua.
d) Comunicarlos solo en caso de accidente.

En MADTEST tienes **más preguntas de este tema**, y todos tus avances quedan registrados y se reflejan en el ranking.

¡Supera tus límites con MADTEST!

Solución al test n.º 10

1. b) Real Decreto 1627/1997.

2. b) Ley 31/1995.

3. b) Directiva 92/57/CEE.

4. c) El coordinador en materia de seguridad y salud.

5. c) El promotor.

6. d) Priorizar la protección colectiva.

7. c) Estudio de seguridad y salud.

8. b) Plan de seguridad y salud.

9. b) El coordinador de seguridad y salud.

10. b) Libro de incidencias.

11. c) Personas con responsabilidades preventivas autorizadas.

12. b) Interrumpir su actividad y abandonar el lugar de trabajo.

13. b) El Inspector de Trabajo y Seguridad Social.

14. c) Información adecuada sobre seguridad y salud.

15. b) Evaluarlos y prevenirlos.

Cómo acceder al Curso

Operario de Carreteras (Personal Laboral Grupo 2)
Test del temario

El uso de los códigos **es exclusivo de los compradores de los productos de Editorial MAD**. Cada producto posee un código único y de un solo uso. Es personal e intransferible y da acceso a servicios y contenidos adicionales. Editorial MAD se reserva el derecho de hacer cuantas comprobaciones sean necesarias para identificar al legítimo poseedor del código y dejar de dar servicio a quien haga uso fraudulento del mismo, además de emprender cuantas acciones legales estime oportunas según la legislación vigente.

Deberás acceder a:

mad.es/registro-campus

Si una vez aceptadas las condiciones de uso del Campus decides hacer uso del mismo, necesitarás del siguiente código de acceso junto con los códigos del resto de títulos que se exigen (si fuera el caso):

W7R4IDVMS1